sashimi

s a s h i m i

HIDEO DEKURA

soline
éditions

sommaire

sashimi

introduction

Spécialité culinaire japonaise, les sashimi sont aujourd'hui très prisés partout dans le monde. Dans un menu occidental, ils font des entrées idéales. La perfection et la simplicité de leur apparence masquent la complexité de ces mets traditionnels riches d'une longue histoire.

Les sashimi sont une création du *Daizen-Shoku*, grand chef cuisinier responsable de l'élaboration et de la préparation des menus de l'empereur sous la dynastie Nara (710-794). À cette époque reculée, on consommait exclusivement des poissons d'eau douce comme la carpe et le perche. Il fallut attendre la dynastie Edo (1600-1868) pour voir les sashimi conquérir tout le pays. On expérimenta de nouveaux poissons et de nouvelles garnitures, aboutissant ainsi à une grande variété.

Le sashimi est un plat composé de filets de poissons crus coupés en languettes de la taille d'une bouchée que l'on déguste avec de la sauce de soja ou avec l'équivalent japonais du raifort. Le terme sashimi peut aussi désigner des bouchées de bœuf et de volaille, mais il est rare que ces viandes soient dégustées crues.

Au Japon, le konnyaku (ou «langue du Diable») et les pousses de bambous se substituent parfois au poisson dans la composition des sashimi. Vous trouverez dans cet ouvrage une recette à base de konnyaku ainsi qu'une recette de sashimi aux fruits qui illustrent bien le fait que les techniques de décoration et de découpe s'adaptent à divers types de denrées et de plats.

De nos jours, de nombreuses variétés de poissons entrent dans la composition des sashimi. Les plus appréciés sont les poissons de mer tels que thon, maquereau et dorade, mais on utilise aussi les crustacés : crevettes, bouquets, homards, crabes et ormeaux. Pour certaines recettes, on fera légèrement pocher les crevettes dans de l'eau salée, juste assez pour qu'elles changent de couleur.

Il est essentiel de connaître l'art de la découpe pour réussir les sashimi car la texture des filets varie selon la façon dont ils sont tranchés. La technique employée donne aux sashimi leur saveur et leur consistance délicates. Ce livre explique les sept manières possibles de préparer le poisson : la coupe en rectangle, avec deux variantes : *hira-zukuri* et *hiki-zukuri* ; la manière japonaise de lever les filets d'un poisson entier pour obtenir trois parties ; l'émincé ou *tataki*, qui offre deux possibilités d'aborder le poisson pour obtenir des textures et saveurs distinctes ; les coupes fines propres au sashimi : *sogi-zukuri* et *hegi-zukuri*, coupes en tranches très fines et en cube, ainsi que la coupe particulière aux seiches.

Sashimi et fraîcheur

Il faut toujours s'assurer de l'extrême fraîcheur des produits de la mer. Les sashimi frais présentent une texture ferme et dégagent ce que les Japonais appellent *umami*, terme qui signifie littéralement «la qualité de ce qui est délicieux». La qualité est le premier critère en matière de choix des crustacés. Si la plupart des poissons peuvent s'accommoder en sashimi, ce mode de préparation ne convient cependant pas à tous. Parce qu'il est difficile de juger de la fraîcheur d'un crustacé, vous trouverez des conseils pour vous aider aux pages 18-19 et 92 de cet ouvrage.

Au fil des siècles, les Japonais ont essayé beaucoup d'espèces de poissons et de crustacés et en ont conclu que les variétés des mers froides sont les meilleures. La plupart peuvent être consommés dès le retour de la pêche mais les gros poissons comme le thon gagnent à attendre deux ou trois jours. Le vieux proverbe japonais *Shun wa kusuri ni masaru* signifie «manger

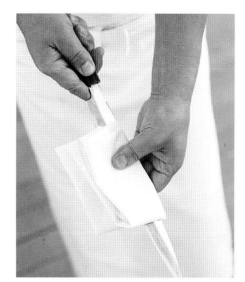

de saison vaut mieux que tous les remèdes». Le choix de produits de saison est un bon moyen d'avoir des produits toujours frais, qu'il s'agisse de poissons ou de légumes; c'est aussi la certitude de les apprécier au moment où ils sont le plus savoureux.

Condiments

Produit d'une longue évolution à l'ère Muromachi (1335-1568), la sauce soja (ou *shoyu*) est aujourd'hui l'accompagnement traditionnel des sashimi. Son invention a révolutionné la notion de sashimi puisque, autrefois marinés, les poissons se mangent maintenant crus.

Ce condiment résulte de la fermentation de soja, de malt de blé et de saumure. Il en existe deux sortes, une sauce claire *(usu kuchi shoyu)* et une sauce foncée *(koi kuchi shoyu)*. La première est généralement moins épaisse, plus salée et – comme son nom l'indique – de coloration plus claire. On peut l'employer pour assaisonner les plats sans les teinter. La seconde, habituellement présente sur la table, au goût plus prononcé, est plus sombre, généralement plus épaisse et moins salée. Une troisième variante, le *tamari*, encore plus épaisse, au goût plus fort, est de couleur très foncée. Une sauce de soja très légère, spécialement destinée au sashimi, a été inventée récemment dans la région de Kanto.

La plupart des pays d'Asie produisent de la sauce soja, mais celle qui est fabriquée au Japon respecte le mieux la délicate saveur des sashimi. Rangée dans un lieu frais et sombre, elle se conserve plusieurs mois. Une exposition prolongée à la lumière du jour altère son goût.

Les condiments qui accompagnent les sashimi sont choisis pour leur saveur mais aussi parce qu'ils facilitent la digestion. Le daïkon et le wasabi, les deux incontournables, contiennent des diastases, enzymes bactéricides intervenant dans la digestion. Le daïkon ou grand radis blanc se sert râpé ou coupé en lanières. On conserve sa chair dans l'eau froide avant de la servir afin qu'elle reste bien croquante. Le wasabi, moutarde japonaise, est une sorte de raifort vert originaire du Japon. Ses feuilles en forme de cœur sont un peu piquantes, mais c'est la racine qui est appréciée pour sa saveur forte et rafraîchissante comparable à la moutarde. Elle est râpée ou moulue jusqu'à obtention d'une poudre vert pâle à laquelle on ajoute un peu d'eau pour créer une pâte onctueuse.

Bon appétit !

aiguisage

ouchou, le couteau japonais par excellence, est toujours parfaitement affûté. C'est en fait un ciseau puisque sa lame n'est aiguisée que sur une face. Il permet de couper plus vite et plus finement que nos habituels couteaux de cuisine. Il est prévu pour les droitiers – sa lame est affûtée à droite – mais les gauchers peuvent se faire faire des couteaux dont le biseau sera à gauche.

Il y a trois qualités de lames au Japon : honyaki, hongasumi et kasumi. Plus la lame conserve longtemps son tranchant, meilleure est sa qualité. En Japonais, cette durée porte le nom de *kirehaga*. Les meilleures lames (honyaki), en acier au carbone, ne nécessitent pas d'aiguisage pendant très longtemps. La différence entre les deux autres qualités (hongasumi et kasumi), alliages d'acier au carbone et d'acier doux, est minime. L'acier doux facilite l'aiguisage.

Utilisez une pierre à eau et non une pierre à huile pour aiguiser les couteaux japonais. Vous la ferez tremper une vingtaine de minutes avant de procéder à l'affûtage de la lame.

De gauche à droite : Couteaux à sashimi, à légumes, à lever les filets

Le couteau à sashimi

La lame en acier au carbone du *yanagiba-bouchou* mesure environ 40 cm. Appelé couteau à sashimi, il sert à lever les filets des poissons de petites et moyennes dimensions. On peut le remplacer par un couteau à lever les filets.

Le couteau à légumes

Le *usuba-bouchou* est conçu spécialement pour couper et trancher les légumes. La lame forme un angle droit avec le légume à couper et le morceau reste collé dessus.

Le couteau à lever les filets

Le deba-bouchou, utilisé pour lever les filets, est plus lourd que les autres couteaux. Son poids permet d'obtenir une coupe bien nette. Lame et manche compris, il mesure environ 40 cm. Si vous vous mettez vraiment aux sashimi, ce sera votre premier achat.

1 Placez la pierre à aiguiser sur une serviette humide pour qu'elle ne bouge pas. Essuyez-la avec un chiffon humide et tenez le couteau dans la main droite. Placez à plat la moitié supérieure de la lame sur la pierre en formant un angle à 40°. Appuyez le majeur et l'index sur l'extrémité de la lame et faites-la glisser d'avant en arrière. Essuyez-la.

2 Après avoir aiguisé l'extrémité, affûtez le reste de la lame.

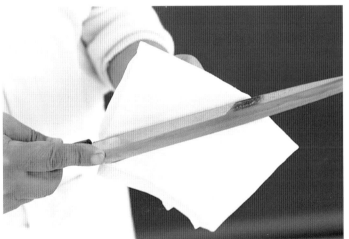

3 La plupart des couteaux japonais étant en fait des ciseaux, la limaille qui résulte de l'affûtage adhère au côté plat de la lame. Pour les enlever, tournez le couteau, posez le bord de la lame sur la pierre en formant un angle à 45° puis faites-le glisser sur la serviette.

4 Essuyez la lame avec un chiffon humide.

Remarque : Ces explications sont conçues pour un couteau de droitier. Vérifiez régulièrement l'état de vos lames.

ustensiles

La planche à découper

Au Japon, on préfère les planches en bois car, le poisson ne glissant pas, il est plus facile de le couper et d'avoir un geste précis. Avant d'utiliser la planche, la rincer et l'essuyer avec un chiffon propre. Il est prudent de la désinfecter une fois par semaine en la faisant bouillir et en la laissant sécher au soleil. Si vous utilisez une planche en plastique ou ne disposez pas d'une marmite assez grande pour y faire bouillir la planche, vous la brosserez au gros sel et la rincerez à l'eau bouillante. Pour la préparation de vos sashimi, prenez de préférence une planche de 60 cm de côté ou un rectangle de 45 x 35 cm.

Mandoline

Ce petit appareil manuel muni d'une lame effilée sert à couper très finement les légumes comme le daïkon et la carotte. Certains modèles ont une lame réglable, à défaut on peut utiliser un éplucheur.

Les baguettes métalliques

C'est avec elles que l'on sert les sashimi. Grâce à leur poids et à leur pointe acérée, il est très facile de manipuler les bouchées de sashimi et les condiments.

La pince à épiler

Les *honehuki* ou pinces à enlever les arêtes sont lourdes et leurs extrémités aplaties permettent de saisir les arêtes et de les enlever facilement. Si vous n'en trouvez pas, une pince à épiler fera l'affaire, pourvu que ses extrémités soient larges et plates et non en pointe.

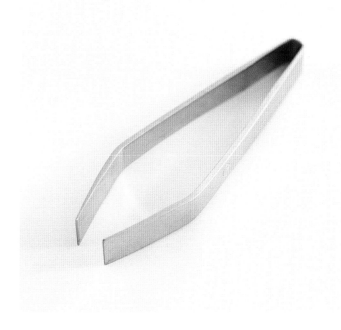

L'éplucheur

L'éplucheur est évidemment l'ustensile idéal pour éplucher les légumes, le daïkon par exemple. Il peut aussi servir à les couper en fines tranches ou bandelettes.

La râpe

On trouve différents types de râpe, en laiton, en aluminium, en acier inoxydable, en céramique et en cuivre. Les râpes en acier inoxydable sont recommandées pour la préparation des sashimi à la maison. Les chefs leur préfèrent celles en cuivre, qui ont des bords coupants, mais leur entretien exige beaucoup de soin. Après chaque utilisation, versez un peu de vinaigre sur la râpe et brossez-la pour qu'elle ne rouille pas. On peut remplacer la râpe présentée sur cette illustration par des modèles plats ou trapézoïdaux.

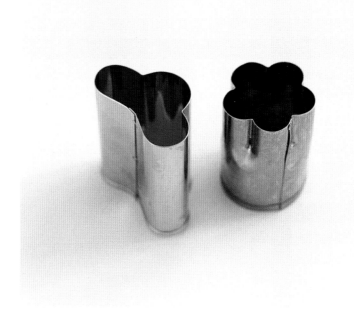

Les emporte-pièce à légumes

On trouve au Japon des emporte-pièce en acier inoxydable de toutes les formes – fleurs, feuilles et autres motifs décoratifs – qui rendent les plats plus attrayants. En Europe, vous les trouverez dans les boutiques japonaises ou asiatiques.

Le couteau à sculpter

Il y a plus de cinquante types de couteau à sculpter les légumes dans le monde, chacun étant destiné à un usage particulier. Les ciseaux à bois de sculpteur vous aideront à vous initier à la sculpture des garnitures de crudités.

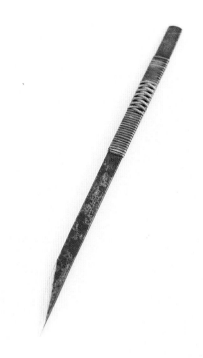

Le couteau à écailler

Le couteau à écailler japonais est conçu pour ne pas abîmer la chair du poisson. On peut le remplacer par un couteau de cuisine, mais dans ce cas il est préférable d'utiliser le bord non tranchant de la lame afin de ne pas endommager le filet. Passez le couteau de la tête vers la queue ou du côté le plus large du filet vers la queue.

garnitures

Les tsuma, ou garnitures à déguster, font partie inté-
grante d'un plat de sashimi. Ces garnitures gourmandes,
dont l'ugo (algue salée), le daïkon en lanières ou
émincé et le shiso, une feuille aromatique de la même famille
que la menthe, sont soigneusement choisies selon leurs couleurs et leurs saveurs, et toujours utilisées en petite quantité.
L'émincé de daïkon, une des garnitures les plus appréciées, se
prépare traditionnellement avec le couteau à lame rectangulaire. On peut aussi utiliser la mandoline. La technique présentée ci-dessous convient à de nombreux légumes.

Émincé de daïkon

1 Épluchez le daïkon avec un couteau à légumes ou un couteau
d'office, à moins que vous ne pré-
fériez prendre un éplucheur.

2 Coupez le daïkon en tranches très
fines en plaçant le couteau à angle
droit.

3 Séparez les tranches et placez-les
dans un bol d'eau fraîche ou bien
mettez-les un quart d'heure au
réfrigérateur dans de l'eau. Égouttez bien avant de servir.

Légumes sculptés

Les légumes crus tels les radis, les carottes, les concombres, les navets et les pommes de terre, voire aussi certains fruits comme la pastèque, peuvent être artistiquement sculptés avant de venir garnir un plat. Pour choisir les mieux adaptés à vos sashimi, basez-vous sur les couleurs de vos ingrédients. Les motifs décoratifs traditionnels inspirés de la nature, fleurs, feuilles et autres, restent les plus prisés. N'oubliez pas que ces œuvres d'art gourmand ne doivent pas avoir la vedette, elles sont là pour mettre les sashimi en valeur et seront donc présentées avec discrétion.

Fleurs de radis rouge

1 Pratiquez trois fines entailles régulièrement espacées autour du radis.

2 Faites une deuxième série d'entailles à 1 cm de la première en veillant à ce qu'elles se rejoignent dans le bas. L'entaille ne doit pas traverser le radis.

3 Tenez le bas du radis pour en détacher le haut en vous aidant de la pointe d'un couteau. Placez un peu d'œuf mimosa dans le creux central pour faire le pistil de la fleur.

Feuille de concombre

1 Préparez un morceau de concombre de 10 cm de long et 1 cm d'épaisseur en posant le concombre à plat et en coupant verticalement. Posez le morceau de concombre sur la planche à découper, peau vers vous, et coupez-le en forme de feuille.

2 De la pointe du couteau, incisez un « V » à l'envers, puis un second à l'intérieur du premier en veillant à ce que les incisions se rejoignent. Recommencez en veillant à chaque fois à ce que la lame ne coupe pas profond dans la chair du concombre.

3 Glissez la pointe du couteau dans le premier « V » et enlevez la peau en veillant à ne pas déborder. Procédez de même dans le deuxième « V ». La chair claire du concombre fera ressortir la peau.

Fleur de daïkon

1 Coupez un tronçon de daïkon de 4 cm de long et posez-le sur votre plan de travail. Placez dessus un emporte-pièce en forme de fleur et appuyez.

2 Placez la pointe de votre couteau au centre de la fleur, à 1 cm, en formant un angle, puis faites tourner le daïkon sur la lame. L'extrémité du radis semble avoir été taillée avec un taille-crayon.

3 Recommencez l'étape 2 pour obtenir quatre fleurs. Placez la pointe du couteau dans le cœur de chaque fleur et évidez-le de 1 mm en faisant tourner la tranche de 360°. Le cœur sera légèrement en creux. Posez les fleurs sur votre planche, cœur vers vous, et placez-y un peu de tobiko (laitance de poisson volant) pour former le pistil.

Remarque : Cette technique convient pour d'autres légumes, les betteraves et les carottes par exemple.

Pour être sûr de trouver du poisson frais, allez chez un poissonnier réputé pour sa qualité, en boutique ou sur un marché. Un poisson entier bien frais se reconnaît à ses yeux transparents non tachés de sang, à ses branchies rouge vif, à la couleur brillante de sa peau, à sa bonne odeur d'océan et à sa chair ferme et élastique.

La plupart des poissons de mer conviennent à la préparation des sashimi. Avec des poissons d'eau douce il faut lever les filets et les couper puis les placer immédiatement dans de l'eau glacée afin de raffermir les chairs. On peut aussi les servir dans une citronnette (vinaigrette où le citron remplace le vinaigre).

Placer le poisson dès que possible au réfrigérateur où il se gardera au maximum deux jours. Si vous en avez le temps, lavez poissons et filets pour qu'ils conservent toute leur fraîcheur.

Le thon (Maguro)

Sa couleur et son goût en font un des poissons les plus prisés pour les sashimi. Achetez une tranche (ou un morceau) correspondant à vos besoins.

La sériole (Buri)

Ce poisson est plus ou moins gros. Une pièce de 15 kg est particulièrement adaptée au sashimi. S'il est impossible d'en trouver, remplacez-le par de la limande à queue jaune.

Le maquereau (Saba)

Les maquereaux entiers sont peu onéreux. Ils perdent rapidement leur fraîcheur, aussi les préparera-t-on immédiatement après les avoir achetés. On peut aussi les faire mariner (voir pages 28-29).

La bonite (Katsuo)

Apparentée au thon, la bonite a une chair rouge et un goût assez fort. Elle sera associée à des garnitures relevées comme le gingembre. On la savoure en tataki.

Limande à queue jaune (Aji)

Bien conservé, ce poisson peut être consommé dans les 60 heures après avoir été pêché.

Le saumon (Shake)

La couleur rose orangé du saumon le rend très attrayant. Nettoyez-le et enveloppez-le dans du plastique avant de le mettre au réfrigérateur où il se conservera jusqu'à deux jours. On peut le remplacer par de la truite de mer.

L'orphie (Sayori)

Ce petit poisson gracile au long corps argenté a une chair un peu sucrée. Il est possible de remplacer l'orphie par du merlan.

Le saint-pierre (Matou-dai)

La chair très pâle de ce poisson est mise en valeur par la coupe en tranche extra-fines. On l'accompagnera de citron, du jus d'autres agrumes ou de vinaigre. Si vous n'arrivez pas à en trouver, prenez de la limande.

La limande (hirame)

Une limande pèse environ un kilogramme. Il vaut mieux l'acheter en automne et en hiver.

Poisson trompette rayé (Isake)

Ce poisson a une belle teinte bronze rehaussé de fines stries blanches. Il mesure environ 30 cm de long. Toutes les parties sont utilisables. Encore presque introuvable en Europe, il peut être remplacé par la sériole, la sole ou un poisson plat.

La seiche (Ika)

Les seiches de 300 g conviennent bien. Leur chair doit être ferme et impeccable. Évitez-les quand elles présentent une coloration rosée. Les encornets peuvent remplacer la seiche.

Le carangue (Shimaaji)

Ce poisson est généralement vert sur le dessus et argenté en dessous. Les poissons entiers d'environ 1 kg sont les mieux adaptés à la confection des sashimi. On peut le remplacer par de la limande à queue jaune.

Le merlan (Kisu)

La chair blanche et tendre de ce poisson convient à la préparation des sashimi coupés en fines tranches (voir page 62). Il est préférable de prendre un poisson entier ou des filets pourvu qu'ils n'aient pas de taches brunâtres.

Éperlans (Shirauo)

Ces petits poissons argentés évoquent de petites aiguilles de glace. Les arêtes se mangent.

La dorade (Tai)

Une grosse dorade entière pèse environ 1 kg et se prête à la préparation des sashimi. Il peut se conserver jusqu'à 36 heures après avoir été pêché. On le coupe en tranches fines comme du papier ou préalablement blanchi.

La perche de mer

C'est une variété occidentale. Un poisson entier mesure 30 cm et convient à la confection des sashimi. Sa chair est blanche et ferme. Avant de préparer les sashimi, écaillez le poisson et enlevez la peau puis blanchissez-le (voir page 42).

À gauche dorade ; en haut : orphie ; ci-dessus : maquereau

techniques

Les sashimi ont une longue histoire. Ils furent d'abord accommodés au sel, au vinaigre puis au hishio. L'introduction de la sauce soja amena une évolution radicale de leur forme. On se mit à prendre des couteaux très affûtés pour couper des bouchées aux contours bien nets et la technique hiki-zukuri fut inventée. Après quelques perfectionnements, elle aboutit à la technique hira-zukuri, un peu plus difficile à maîtriser.

Hiki-zukuri

C'est la technique de coupe la plus simple. Tout en maintenant le filet de la main gauche on place la lame du couteau perpendiculaire au filet et l'on coupe des tranches d'un centimètre d'épaisseur. Laissez les tranches en place tant que vous coupez.

Hira-zukuri

Tenez le filet dans la main gauche, placez le tranchant du couteau perpendiculairement au filet et coupez des tranches d'un centimètre d'épaisseur. Coupez en tirant la lame du couteau du bas à l'extrémité en un mouvement continu puis écartez le morceau de filet restant de la tranche ainsi obtenue. N'éloignez pas les tranches que vous venez de couper.

Préparation d'un morceau
de thon pour la découpe

On peut acheter les gros poissons en tronçons. La chair du thon peut être répartie en trois catégories : akami (la chair rouge au goût plus léger), chu-toro (assez riche) et otoro (très riche). Choisissez votre morceau favori, et comme le thon est parfois assez coûteux, achetez juste ce qu'il vous faut. Avant de commencer à couper en rectangle, préparez le morceau comme suit :

1 Recoupez votre morceau de thon avec un couteau à sashimi pour en faire un pavé régulier.

2 Coupez des rectangles d'environ 2-3 cm sur 5 cm. Les chutes vous permettront de faire des sashimi en cubes (voir pages 64-65), de préparer des assiettes mixtes (voir pages 82-83) ou des sashimi tataki (voir pages 46-47).

Sashimi au saumon

100 g d'ugo (algues séchées)
ou de daïkon en lanières
300 g de filet de saumon
dont vous aurez enlevé peau et arêtes
4 fleurs de daïkon pour la garniture
(voir page 17)
wasabi en accompagnement
sauce de soja en accompagnement

Conseils

Utilisez les chutes de saumon pour découper des cubes (voir pages 64-65) ou préparer des sashimi tataki (voir pages 46-47).

Rincez les algues séchées à l'eau courante pendant 10 secondes pour les dessaler puis faites-les tremper dans de l'eau fraîche jusqu'au moment de l'utilisation. Coupez le saumon en rectangles selon la technique hira-zukuri (voir page 20). Placez des algues sur les assiettes et disposez dessus sept bouchées de saumon. Mettez une fleur de daïkon au milieu.
Servez avec du wasabi et de la sauce de soja.

Pour 4 personnes

Sashimi au thon

375 g de thon dont vous aurez enlevé
peau et chair noire
150 g de daïkon en lanières
wasabi en accompagnement
sauce de soja en accompagnement

Coupez le thon en rectangles selon la technique hira-zukuri (voir page 20). S'il s'agit d'un plat principal pour 4 personnes, prévoyez 28 bouchées. Disposez 7 bouchées sur chaque assiette avec du daïkon. Servez avec du wasabi et de la sauce de soja.
Traditionnellement, au Japon, on place 3 bouchées sur la gauche de l'assiette, devant le convive et 4 bouchées sur la droite, vers le centre de la table.

Pour 4 personnes

Conseil

L'espadon peut remplacer le thon.

SASHIMI AU SAUMON

Sashimi au poisson trompette

1 poisson trompette rayé de 600 g

100 g de daïkon en lanières

8 fines rondelles de citron vert coupées en deux

4 fleurs de radis (garniture, voir page 15)

le jaune d'un œuf dur (œuf mimosa)

8 brins de ciboulette

wasabi en accompagnement

sauce de soja en accompagnement

Levez les filets de manière à obtenir trois morceaux (voir technique page 34) et enlevez les arêtes. Enlevez la peau et coupez en rectangle selon la technique hira-zukuri (voir page 20). Vous devez obtenir 20 bouchées. Déposez un peu de daïkon sur chaque assiette et placez 5 morceaux de poisson dessus. Intercalez les demi-tranches de lime entre les bouchées de poisson.

Décorez d'une fleur de radis avec un cœur en œuf mimosa. Complétez la garniture avec deux brins de ciboulette. Servez du wasabi et de la sauce de soja en accompagnement.

Pour 4 personnes

Conseils

Il vaut mieux lever les filets et enlever la peau juste avant de servir. Le mulet ou un poisson plat remplacent très bien le poisson trompette rayé, encore difficile à trouver.

SASHIMI AU POISSON TROMPETTE

Rouleaux de thon au nori

un pavé de thon de 300 g

4 feuilles de nori coupées en deux

4 fleurs de betterave (voir page 17)

50 g de daïkon en lanières

50 g de betterave en lanières

8 feuilles de concombre (voir page 16)

wasabi en accompagnement

sauce de soja en accompagnement

Coupez le thon en rouleaux de 2-3 cm de diamètre sur 10 cm de long. Posez une feuille de nori coupée en deux sur la planche et placez dessus un bâtonnet de thon. Enroulez avec les deux mains en serrant bien. Recommencez avec les autres bâtonnets et feuilles de nori. Coupez chaque rouleau en 4. Répartissez le daïkon dans 4 bols et placez-y 4 bouchées. Garnissez d'une fleur de betterave et d'une feuille de concombre. Servez avec du wasabi et de la sauce de soja.

Pour 4 personnes

Conseils

Quand vous découpez les bâtonnets de thon, veillez à ce que votre planche soit bien sèche pour que le nori ne ramollisse pas. Le saumon remplace le thon.

ROULEAUX DE THON AU NORI

Sashimi aux maquereaux marinés

625 g de maquereaux entiers

1 cuillerée à soupe de sel

POUR LA MARINADE

25 cl de vinaigre de riz ou de vinaigre blanc

2 cuillerées à soupe de sucre semoule

1 cuillerée à soupe de mirin

100 g de daïkon en lanières

4 quartiers de citron pour décorer

sauce de soja en accompagnement

Levez les filets de maquereau de manière à obtenir trois morceaux (voir technique page 34) et éliminez les arêtes restantes avec la pince à épiler. Placez les filets dans un plat et saupoudrez-les de sel. Réfrigérez 30 minutes. Mélangez les ingrédients de la marinade dans un bol. Sortez le poisson du réfrigérateur, ajoutez la marinade et remettez au frais pendant 30 minutes.

Sortez le maquereau du réfrigérateur et essuyez l'excès d'humidité avec un chiffon propre. Coupez les filets en rectangles selon la méthode hiki-zukuri (voir technique page 20). Vous obtenez 20 morceaux.

Répartissez le daïkon sur les 4 assiettes. Placez 4 bouchées de maquereau sur chaque assiette et garnissez-les de rondelles de citron. Servez avec de la sauce de soja.

Pour 4 personnes

Conseil

Vous pouvez remplacer le maquereau par de la limande à queue jaune.

SASHIMI AUX MAQUEREAUX MARINÉS

Sashimi mixtes

100 g de daïkon en lanières

4 bouchées de thon rectangulaires (pages 20-21)

4 bouchées de saumon rectangulaires (pages 20-21)

2 feuilles en concombre pour la garniture

2 bouquets cuits (gambas)

3 seiches fourrées à l'okra (voir pages 74-75)

2 feuilles en wasabi

CONFECTION DES FEUILLES EN WASABI

2 cuillerées à café de poudre de wasabi

1 cuillerée à café d'eau

sauce de soja en accompagnement

Préparez les ingrédients juste avant de les servir. Disposez le daïkon en lanières sur une assiette. Placez les bouchées de thon et de saumon de chaque côté de l'assiette en les séparant avec les feuilles en concombre. Posez les bouquets devant les feuilles de concombre et les rouleaux de seiche devant ces dernières.

Confection des feuilles en wasabi : Délayez la poudre de wasabi dans l'eau jusqu'à obtention d'une pâte onctueuse. Directement sur l'assiette, modelez la pâte en deux petits ovales que vous façonnerez en forme de feuille à l'aide d'un couteau à beurre.

Servez avec de la sauce de soja pour tremper les sashimi.

Pour 3 personnes

Conseils

Vous pouvez remplacer le thon et le saumon par de la sériole ou de l'orphie.

Konnyaku, daïkon et shiso

220 g de konnyaku environ
(pour les sashimi)

100 g de daïkon en lanières

4 feuilles de shiso

10 rondelles de citron coupées en deux

wasabi en accompagnement

sauce de soja en accompagnement

mayonnaise de wasabi (voir page 90)

Sortez le konnyaku du paquet et essuyez l'excédent d'humidité avec un chiffon propre. Découpez-le en 24 tranches en utilisant la technique de coupe rectangulaire. Répartissez le daïkon sur les quatre assiettes. Placez le shiso sur les assiettes et déposez les 6 tranches de konnyaku. Intercalez une rondelle de citron entre les tranches de konnyaku. Il doit y avoir cinq rondelles de citron sur chaque assiette.

Servez avec du wasabi et de la sauce de soja.

Pour 4 personnes

Conseil

Si vous ne trouvez pas de feuilles de shiso, remplacez-les par des feuilles de sésame, de mitsuba ou de persil chinois (coriandre fraîche).

Les filets d'une qualité qui convienne à la confection des sashimi n'étant pas toujours disponibles, il vaut mieux savoir lever les filets soi-même. Si vous achetez un poisson entier, vous pouvez le découper en trois et mettre les filets ainsi obtenus au réfrigérateur. Le poisson se gardera plus longtemps. Un couteau à lever les filets muni d'une lame en acier inoxydable de 13 cm est le mieux adapté à cette tâche.

Veillez à ce que la lame soit bien affûtée. Si tel n'est pas le cas, aiguisez-la avant de commencer (voir page 9). Si nécessaire, il faudra bien sûr commencer par écailler les poissons (voir page 42). Tous ne se prêtant pas à la réalisation des sashimi, achetez de préférence ceux qui figurent sur la liste des pages 18-19. La plupart des poissons d'eau douce ne conviennent pas.

Ci-dessus : une bonite

1 Écaillez le poisson si nécessaire (voir page 42). Incisez le ventre avec un couteau pointu, videz-le et rincez rapidement. Évitez de faire couler trop d'eau, car elle risque d'altérer le goût de la chair. Posez-le sur la planche. Placez la lame derrière les branchies pour couper la tête.

2 Maintenez le poisson d'une main et commencez à lever le filet depuis la coupe vers la queue en suivant l'arête centrale. Levez le filet tout en coupant. Mettez-le de côté, retournez le poisson et levez le deuxième filet.

3 Enlevez les arêtes restantes dans le filet ou dans la zone des viscères.

4 Vous avez maintenant deux filets et l'arête centrale attachée à la queue. Jetez cette partie.

Lever les filets d'une orphie

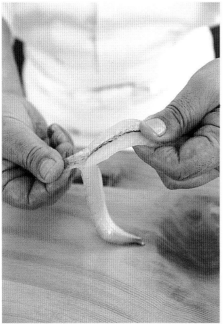

Pour apprendre à lever des filets, le mieux est de s'entraîner sur de petits poissons. La technique est pratiquement identique à celle qui est décrite aux pages 34-35, mais l'opération est beaucoup plus facile.

1. Prenez un couteau bien affûté et placez la lame derrière les branchies et les nageoires pour couper la tête. Enlevez les viscères et rincez soigneusement à l'eau courante.
2. Maintenez le poisson d'une main et commencez à lever le filet depuis la coupe vers la queue en suivant l'arête centrale. Soulevez le filet au fur et à mesure tout en coupant. Retournez le poisson et levez le deuxième filet.
3. Vous avez maintenant deux filets et l'arête centrale, que vous jetterez car elle ne se mange pas.
4. Enlevez la peau à la main en allant de la tête vers la queue.

Sashimi à l'orphie

4 orphies entières

12 petites feuilles de bambou pour la garniture

16 câpres

wasabi en accompagnement

sauce de soja en accompagnement

Levez les filets des orphies comme indiqué page 36. Coupez chaque filet en deux en suivant la ligne du milieu et enlevez-en la peau.

Placez trois feuilles de bambou sur chaque assiette. Enroulez les filets d'orphie et disposez-en 4 sur chaque assiette. Surmontez chaque filet d'une câpre.

Servez avec du wasabi et de la sauce de soja.

Pour 4 personnes

Conseil

En dehors de la saison des orphies, prenez du merlan.

Rouleaux de limande, varech et daïkon

4 feuilles de varech de 10 cm de côté, ébouillantées

4 limandes à queue jaune entières

4 tranches de daïkon extra-fines de 10 cm de long

2 cuillerées à café de laitance de poisson volant

feuilles de nandin pour la garniture

wasabi en accompagnement

sauce de soja en accompagnement

Préparation du varech : Portez l'eau à ébullition, plongez-y le varech et laissez-le jusqu'à ce qu'il soit tendre. Préparation du daïkon : Coupez 4 tranches de daïkon dans le sens de la longueur en vous servant d'un éplucheur. Elles doivent faire environ 10 cm.

Levez les filets de limande en suivant les explications de la page 35. Enlevez les arêtes restantes à la pince à épiler. Enlevez la peau en vous aidant d'un couteau. Posez une feuille de varech sur la planche à découper puis posez les filets dessus et roulez en serrant bien. Posez la tranche de daïkon sur la planche, mettez le rouleau de poisson dessus et enveloppez-le. Coupez le rouleau ainsi obtenu en 4 morceaux. Continuez de même avec les ingrédients restants. Disposez les rouleaux sur 4 assiettes et garnissez de feuilles de nandin.

Servez avec du wasabi et de la sauce de soja.

Pour 4 personnes

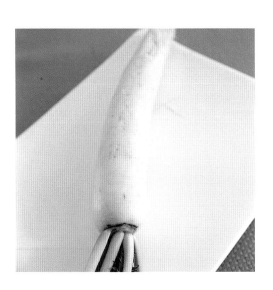

ROULEAUX DE LIMANDE. VARECH ET DAÏKON

Orphies marinées au varech

4 orphies

POUR LA MARINADE

6 cl (4 cuillerées à soupe) de vinaigre de riz

ou de vinaigre blanc

1 pincée de sel

1 cuillerée à café de mirin pour relever

1 cuillerée à café d'eau

4 bandelettes de varech séché de 2,5 cm x 20 cm,

rincées

4 fleurs en daïkon (voir page 17) pour la garniture

4 feuilles d'aillet

wasabi en accompagnement

sauce de soja en accompagnement

Levez les filets de l'orphie en suivant les indications données page 36. Enlevez les arêtes restantes à la pince à épiler. Mélangez les ingrédients de la marinade dans un petit saladier et faites-y tremper les bandelettes de varech pendant 10 minutes. Placez un filet sur la planche à découper et recouvrez-le d'une bandelette de varech puis d'un autre filet. Versez un peu de marinade sur le « sandwich » ainsi obtenu en le pressant bien. Continuez de même avec les autres filets et bandelettes de varech et réfrigérez le tout 30 minutes. Avant de servir, recoupez les extrémités de chaque « sandwich » et coupez-les en tranches de 2 cm d'épaisseur. Répartissez les bouchées sur les 4 assiettes et garnissez-les de fleurs en daïkon et de feuilles d'aillet.

Servez avec du wasabi et de la sauce de soja.

Pour 4 personnes

Conseils

Enveloppez le sandwich dans une feuille de nori

pour le couper plus facilement.

Le merlan peut remplacer l'orphie.

ORPHIES MARINÉES AU VARECH

Matsukawa-zukuri

Matsukawa-zukuri est le nom donné aux sashimi pour lesquels on aura préalablement fait blanchir le poisson. Ce procédé a deux fonctions : cuire la peau et la couche supérieure de chair d'une part, donner au poisson une belle apparence d'autre part. La peau d'un poisson blanchi rétrécit jusqu'à évoquer l'écorce d'un pin (*matsukawa*).

Les poissons protégés par de grosses écailles et ceux dont la chair est très ferme – comme la dorade royale, la perche de mer et la dorade grise – conviennent particulièrement bien à cette préparation.

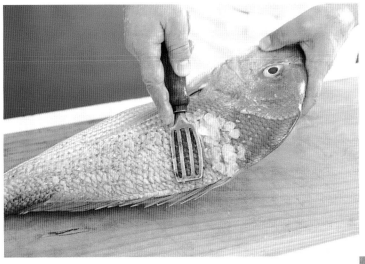

1 Écailler un poisson est parfois salissant, aussi vaut-il mieux prendre des précautions : le poser sur une grande feuille de papier, se mettre au-dessus de l'évier ou placer le poisson dans un sachet en plastique. Tenez-le par la tête et passez le couteau à écailler de la tête vers la queue. Le fait de rincer le poisson de temps en temps vous facilitera la tâche.

2 Coupez la tête avec un couteau à lever les filets bien aiguisé (voir page 8). Levez les filets en utilisant la technique expliquée aux pages 34-35. Déposez un filet dans un plat et versez de l'eau bouillante dessus pour que la peau rétrécisse. Mettez ensuite le filet sur une assiette et faites refroidir au réfrigérateur. Procédez de même avec le deuxième filet.

3 Sortez les filets du réfrigérateur et placez-les sur votre planche à découper. Coupez-les en deux et préparez des bouchées rectangulaires en utilisant la technique hira-zukuri (voir page 20).

Sashimi de dorade blanchie

100 g de concombre

une dorade entière de 600-650 g

8 rondelles de citron coupées en deux

des fleurs non traitées aux pesticides

pour la décoration

wasabi en accompagnement

sauce de soja en accompagnement

Pelez le concombre avec un éplucheur. Coupez-le en lanières très fines avec un couteau d'office bien aiguisé. Réservez les lanières dans un saladier d'eau fraîche jusqu'au moment de les utiliser.

Écaillez la dorade (voir page 42). Levez les filets (voir explication pages 34-35) et enlevez les arêtes restantes à la pince à épiler. Posez le filet sur une assiette, peau vers vous, et versez de l'eau bouillante dessus. Quand la peau commence à se rétracter, mettez le filet au réfrigérateur sur une assiette. Procédez de même avec le second filet. Avant de servir, coupez le poisson en bouchées rectangulaires selon la technique hiki-zukiri (voir page 20). Vous devez obtenir 20 bouchées. Disposez-en 5 par assiette et intercalez les rondelles de citron entre elles. Décorez les assiettes de tranches de concombre et de fleurs.

Servez avec du wasabi et de la sauce de soja.

Pour 4 personnes

Conseils

La texture des dorades blanchies est meilleure quand elles pèsent au maximum 1 kg. Si elles sont plus grosses, leur peau est plus épaisse et plus dure. On peut aussi préparer la dorade grise de cette façon.

SASHIMI DE DORADE BLANCHIE

t a t a k i

À l'origine, tataki voulait dire battre légèrement la chair d'un poisson avec une lame de couteau pour en faire ressortir la saveur. Ce terme a pris un sens plus large et désigne aujourd'hui les poissons que l'on fait blanchir, légèrement griller, ou que l'on émince pour faire ressortir la saveur des sashimi.

Tataki légèrement grillé

Cette préparation met en valeur la bonite. Avant de le griller, couvrez le poisson de sel qui en attendrira la peau assez dure, facilitant sa consommation.

Tataki blanchi

Blanchir un poisson ou une viande (voir page 42) stabilise son goût. Ce traitement convient bien au thon, à l'espadon et à la bonite.

Tataki légèrement émincé

Limande à queue jaune, orphie et merlan gagnent à être légèrement émincés. Le fait de couper le poisson avec le dos et non avec le tranchant du couteau lui donnera plus de goût, tout comme l'ajout d'épices.

Tataki bien émincé (haché)

Le saumon, la truite de mer et la sériole conviennent à cette préparation. La chair du poisson prend la texture d'un pâté.

Bœuf tataki

POUR LA MARINADE

12 cl de vinaigre de riz ou de vinaigre blanc

1 cuillerée à café de mirin

1 cuillerée à café de sucre en poudre

1 oignon blanc coupé en tranches fines

2 aillets finement coupés

300 g d'aloyau (culotte)

feuilles vertes, de bambou ou de camélia,
pour décorer

60 g de radis rouge râpé

wasabi et sauce de soja en accompagnement

Mélangez tous les ingrédients de la marinade dans un petit saladier. Versez l'oignon dans le mélange et ajoutez les aillets. Amenez l'eau à ébullition dans une casserole, versez-y le bœuf et faites blanchir 10 secondes. Sortez le bœuf de la casserole et plongez-le encore chaud dans la marinade. Mélangez bien et réfrigérez 30 minutes. Sortez le morceau de bœuf de la marinade et coupez-le en tranches fines (voir page 54). Disposez les tranches comme des pétales de fleur sur une assiette. Placez les tranches d'oignon blanc et l'aillet haché au milieu. Garnissez de feuilles.

Servez avec du wasabi et de la sauce de soja pour tremper les tranches de viande. Accompagnez de radis râpé servi dans une petite assiette séparée. Chaque grande assiette est pour deux personnes.

Pour 4 personnes

Conseil

On peut griller le bœuf au lieu de le blanchir.

BŒUF TATAKI

Bonite tataki légèrement grillée

Une bonite de 600-650 g

60 g de sel pour griller

1 oignon blanc coupé en tranches fines

2 feuilles d'aillet coupées fin

60 g de gingembre frais râpé

1 gousse d'ail écrasée coupée très fin

100 g de daïkon en lanières

4 fleurs en radis (voir page 15)

POUR LA MARINADE

12 cl de vinaigre de riz ou de vinaigre blanc

1 cuillerée à café de mirin

1 cuillerée à soupe de sucre en poudre

Levez les filets de la bonite comme il est expliqué page 34 et enlevez les arêtes restantes à la pince à épiler. Glissez les filets sur une brochette en bambou ou en métal, en prenant soin de la passer entre la peau et la chair. Saupoudrez le sel partout sur la peau en maintenant bien le filet. Passez le filet au grill, chair vers le haut, jusqu'à ce qu'elle soit légèrement grillée. Déposez le filet dans un saladier plein d'eau glacée. Rincez le sel, enlevez les brochettes et réfrigérez le filet 30 minutes sur une assiette. Mélangez les ingrédients de la marinade dans un saladier. Ajoutez-y l'oignon en tranches, les aillets, le gingembre et l'ail. Mélangez bien le tout. Sortez les filets de bonite pour les couper en rectangle, façon hiki-zukuri (voir page 20). Répartissez le daïkon sur les 4 assiettes puis disposez les bouchées de poissons. Surmontez-les de tranches d'oignon et d'aillets. Versez un peu de marinade et garnissez avec les fleurs en radis.

Pour 4 personnes

Conseil

La bonite a un goût subtil et léger au printemps tandis qu'en automne, la chair plus grasse présente une texture remarquable. En hiver, la chair est encore plus riche.

BONITE TATAKI LÉGÈREMENT GRILLÉE

Saumon tataki

300 g de filet de saumon sans la peau

2 feuilles de ciboulette ciselées

40 g de gingembre râpé

1 cuillerée à café de mirin

1 pincée de sel

8 feuilles de shiso

8 œufs de caille

feuille d'érable rouge pour la décoration (facultatif)

wasabi en accompagnement

sauce de soja en accompagnement

Enlevez toutes les arêtes à la pince à épiler. Coupez les filets en julienne puis hachez-les avec un couteau en mélangeant la ciboulette et le gingembre. Ajoutez le mirin et le sel. Préparez 8 petites boulettes.

Coupez les feuilles de shiso en deux le long de la nervure principale et enveloppez chaque boulette de ces deux moitiés de feuille. Si nécessaire, mouillez légèrement pour que les feuilles adhèrent au mélange. Mettez deux boulettes sur chaque assiette. Cassez un œuf de caille au-dessus d'un saladier, séparez le jaune avec soin pour le placer sur la boulette. Si vous le souhaitez, complétez la décoration de l'assiette avec des feuilles d'érable.

Servez avec du wasabi et de la sauce de soja.

Pour 4 personnes

Conseil

La truite de mer remplace très bien le saumon.

SAUMON TATAKI

sogi-zukuri

Cette façon de préparer les sashimi convient surtout aux poissons comme la dorade et le maquereau, dont la chair est moins épaisse. Il n'est donc pas possible de les couper en bouchées rectangulaires. Cette technique a été imaginée pour donner l'illusion que les tranches fines sont plus larges. Par la suite, elle a permis de créer de nombreuses présentations. Si vos invités sont novices dans l'art de déguster du poisson cru, ces sashimi feront une initiation idéale.

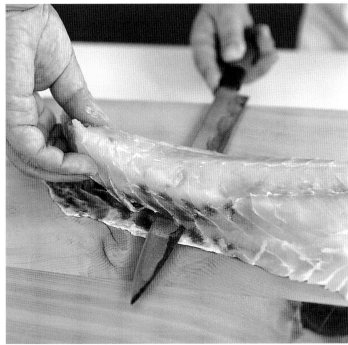

1   Écaillez le poisson (voir page 42) et levez les filets (voir pages 34-35) avec un couteau à sashimi ou un couteau spécial.

2   (Ci-dessus) Posez le filet, peau sur la planche à découper, et glissez la lame du couteau sous la peau. Tout en tenant le filet de la main gauche, coupez parallèlement à la planche pour enlever la peau.

3   En commençant sur la gauche du filet, tranchez en diagonale en inclinant la lame à 45°. Après avoir fini de trancher le poisson, relevez la lame à 90° et utilisez-la pour faire glisser les tranches sur la gauche.

Dorade aux œufs mimosa et au tobiko

2 jaunes d'œufs durs passé au tamis (mimosa)

une dorade de 600-650 g

2 cuillerées à café de tobiko

(laitance de poisson volant)

des pousses de moutarde pour la décoration

sauce de soja en accompagnement

É talez le jaune d'œuf sur une plaque à four recouverte d'une feuille d'aluminium. Mettez au four (environ 2 minutes) jusqu'à ce qu'il ait pris une teinte dorée. Réservez.

Levez les filets de dorade comme indiqué aux pages 34-35 et enlevez les arêtes restantes à la pince à épiler. Coupez les filets en tranches fines (voir page 54). Placez les tranches de poisson et la laitance dans un saladier et remuez. Ajoutez les jaunes d'œufs et tournez légèrement. Garnissez de pousses de moutarde.

Servez avec de la sauce de soja.

Conseil

La laitance de hareng salé peut remplacer la laitance de poisson volant. Les œufs sont de même diamètre, mais plus jaunes et plus salés.

DORADE AUX ŒUFS MIMOSA ET AU TOBIKO

Saumon à la sauce au bleu et au miso blanc

250 g de filet de saumon ou de truite de mer,
sans la peau

50 g d'aillet en lanières

1 cuillerée à café de graines de sansho
(poivre japonais)

POUR LA SAUCE

30 g de bleu

50 g de pâte de miso blanc

2 cuillerées à soupe de mirin

1 cuillerée à soupe de sauce de soja légère

Coupez le saumon en tranches fines (voir page 54). Mélangez le bleu et le miso blanc au fouet dans un saladier. Ajoutez le mirin et la sauce soja. Disposez les aillets sur 4 assiettes, posez dessus les tranches de saumon, puis la sauce, et terminez avec quelques graines de sansho.

Pour 4 personnes

Conseil

Si vous voulez une sauce plus onctueuse, ajoutez

une cuillerée à soupe de crème fraîche au mélange.

SAUMON À LA SAUCE AU BLEU ET AU MISO BLANC

hegi-zukuri

Hegi-zukuri signifie que l'on replie la tranche fine de poisson autour d'une garniture qui peut être un condiment ou légume. Tranchez les filets selon la méthode sogi-zukuri (voir page 54), puis pliez la tranche en deux et ajoutez la garniture de votre choix.

Comme pour la coupe sogi-zukuri, les poissons préférés sont : la dorade, le saint-pierre, le flétan, la limande, etc.

Ci-contre : Tranchez le filet en commençant à gauche, façon sogi-zukiri (voir page 54) et préparez les garnitures. Disposez-les dans la longueur puis coupez les tranches en deux.

Limande à la ciboulette

100 g de carottes en lanières

8 grandes feuilles de basilic pour la décoration

(facultatif)

une limande sole de 600-650 g

1 bouquet de ciboulette

4 fleurs en daïkon (voir page 17)

wasabi en accompagnement

sauce de soja en accompagnement

Conseil

On peut remplacer la limande par du flet ou du flétan.

Répartissez sur les 4 assiettes les carottes en lanières et 2 feuilles de basilic (facultatif). Mettez-les de côté. Levez les filets de limande (voir technique pages 34-35) puis coupez-les en tranches fines (voir page 54). Coupez la ciboulette en rubans de 2-3 cm. Posez la tranche de limande sur la planche à découper et placez 3 rubans de ciboulette au milieu puis pliez-la en deux. Posez-la sur une feuille de basilic. Placez une fleur en daïkon sur chaque assiette. Servez avec du wasabi et de la sauce de soja.

Pour 4 personnes

LIMANDE À LA CIBOULETTE

usu-zukuri

Saint-pierre en tranches extra-fines

un saint-pierre de 600-650 g

12 cl de ponzu (vinaigre d'agrumes japonais)

ou de vinaigre de riz

Le jus d'un citron ou 4 morceaux de yuzu séché

ou congelé (facultatif)

6 rondelles de citron coupées en deux

16 fleurs en daïkon (voir page 17)

4 fleurs en carotte (voir page 17)

É caillez le poisson (voir page 42) et levez les filets (voir technique pages 34-35). Enlevez les arêtes restantes à la pince à épiler puis enlever la peau. Recoupez l'extrémité gauche du filet en diagonale avec un couteau bien aiguisé. Tout en maintenant le filet découpé de la main gauche, inclinez la lame à 45° vers votre gauche. Coupez en tranches fines comme du papier (de 5 cm x 2,5 cm) en allant de la gauche vers la droite de la chair. Disposez délicatement les tranches sur une assiette en les manipulant avec des baguettes ou une fourchette. Mélangez le vinaigre et le jus de citron dans un bol. Servez la sauce à base de vinaigre en accompagnement. Si vous utilisez du yuzu, placez-en un morceau dans chacun des petits bols prévus pour tremper les sashimi. Ajoutez 3 rondelles de citron, 4 fleurs de daïkon et une fleur de carotte sur chaque assiette.

Pour 4 personnes

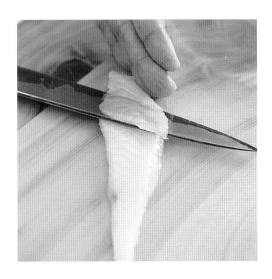

Conseils

Le poisson coupé très fin a une chair translucide au travers de laquelle on voit la couleur de l'assiette, choisissez donc des teintes qui se mettent en valeur. Si vous avez du caviar, vous pouvez en parsemer vos sashimi.

On peut remplacer le saint-pierre par de la dorade.

SAINT·PIERRE·EN·TRANCHES·EXTRA·FINES

kaku-zukuri

Technique de coupe en cubes

L a coupe kaku-zukuri, moderne, a été imaginée pour obtenir des sashimi de dimensions et d'épaisseur uniformes. Elle a été créée dans le but de faire mariner ou d'assaisonner les bouchées de sashimi. L'épaisseur du cube permet à la chair superficielle d'absorber les saveurs de la marinade tandis que le cœur du cube conserve le goût propre au poisson.

Tous les poissons à la chair tendre et épaisse comme le thon, le saumon, la sériole et la bonite se coupent facilement en dés. Achetez un pavé d'environ 8 cm de long, 5 cm de large et 5 cm d'épaisseur. Un morceau de cette dimension permet de préparer un plat pour 4 personnes à raison de 8 morceaux chacun.

Coupez le pavé en deux dans la longueur pour avoir deux rectangles allongés. Recoupez chaque rectangle en deux. Vous en obtenez quatre. Utilisez la technique hiki-zukuri pour faire des cubes d'environ 2 cm de côté.

Recoupez le pavé de thon en cubes de 2 cm de côté en tirant la lame sur la chair.

Thon et purée de patate douce

300 g de thon sans la peau et sans la partie noire

de la chair

2 cuillerées à soupe de sauce de soja

50 g de daïkon en lanières

15 g de purée de patate douce ou de kumara

1 feuille de nori coupée en lanières

Coupez le thon en cubes de 2 cm de côté (voir page 64). Placez les cubes dans un bol et versez la sauce de soja puis mélangez délicatement. Répartissez le daïkon dans les 4 coupelles. Disposez dessus les dés de thon. Versez la purée de patate douce sur le thon et garnissez de lamelles de nori.

Pour 4 personnes

Conseil

Les épiceries japonaises vendent de la purée de patate douce toute prête.

THON ET PURÉE DE PATATE DOUCE

Cubes de thon blanchis

un pavé de 300 g de thon sans la peau

et sans la partie noire de la chair

12 petites feuilles de shiso ou d'érable

pour la garniture

des fleurs non traitées aux pesticides

pour la décoration

sauce de soja pour servir

Coupez le pavé de thon en deux bâtonnets d'environ 2,5 cm sur 20 cm ou 15 cm selon ses dimensions. Remplissez une casserole d'eau et amenez-la à ébullition, puis à l'aide de pinces ou de baguettes plongez les bâtonnets un par un pendant deux secondes dans l'eau. Mettez-les ensuite immédiatement dans un saladier d'eau glacée et réfrigérez jusqu'à complet refroidissement. Sortez-les alors de l'eau glacée pour les couper en cubes de 2,5 cm de côté.

Répartissez les feuilles de shiso ou d'érable entre les assiettes. Posez les cubes de thon dessus, côté coupé vers le haut. Garnissez de fleurs.

Servez avec une coupelle de sauce de soja pour tremper.

Pour 4 personnes

Conseil

On peut remplacer le thon par du saumon.

CUBES DE THON BLANCHIS

Bonite aux œufs mimosa

4 jaunes d'œufs durs (œuf mimosa)

1 bonite entière d'environ 600-650 g

1 cuillerée à café de moutarde ou de karashi

100 g de daïkon en lanières

fleurs non traitées pour la décoration

sauce de soja pour servir

P réchauffez le four à 160 °C (thermostat entre 2 et 3). Étalez les jaunes sur une plaque à four recouverte d'une feuille d'aluminium. Mettez-la au four (environ 2 minutes) jusqu'à ce qu'ils aient pris une teinte dorée. Réservez.

Levez les filets de bonite comme indiqué pages 34-35, enlevez les arêtes restantes à la pince à épiler et coupez en dés de 2-3 cm de côté. Mettez les dés dans un saladier et enrobez-les de moutarde. Ajoutez les jaunes cuits et continuez à mélanger. Répartissez le daïkon sur les quatre coupelles. Placez la bonite par-dessus et garnissez avec les fleurs.

Servez avec de la sauce de soja.

Conseil

Si vous avez du myoga, gingembre japonais, coupez-en 100 g très fin et ajoutez-le aux cubes de bonite. C'est un condiment à la fois croquant et juteux, très aromatique.

BONITE AUX ŒUFS MIMOSA

Nettoyer et couper

Les seiches ont de petites poches à encre et sont donc un peu délicates à vider. Il faut faire bien attention de ne pas déchirer les poches pour qu'il n'y ait pas d'encre partout.

Les seiches dégageant une odeur un peu forte ou anormalement visqueuses ne seront pas utilisées pour préparer des sashimi.

À défaut de seiche, on peut utiliser des encornets (calmars).

Ci-contre : seiche entière

1 Tenez la tête de la seiche dans une main pour enlever l'os délicatement de l'autre.

2 Ôtez les tentacules et videz la seiche en prenant garde de ne pas rompre la poche d'encre. Rincez à l'eau froide. Les tentacules peuvent être utilisés pour confectionner les sashimi. Coupez-les sous les yeux et enlevez le bec. Coupez-les ensuite en petites bouchées et blanchissez-les en versant de l'eau bouillante dessus.

3 Faites une fente sur la moitié de l'intérieur du corps. Arrachez la peau depuis le bord du filet que vous venez de couper. Aidez-vous d'un chiffon pour vous faciliter la tâche.

Rouleaux de seiche

1 Coupez le filet en deux en vous arrêtant à 1 cm du bord. Ouvrez le filet en l'écartant délicatement avec la lame du couteau.

2 Recoupez le haut et le bas d'un okra. Coupez une feuille de nori de la largeur d'un côté du filet de seiche. Posez la feuille de nori sur le filet et l'okra par-dessus, bien contre le pli.

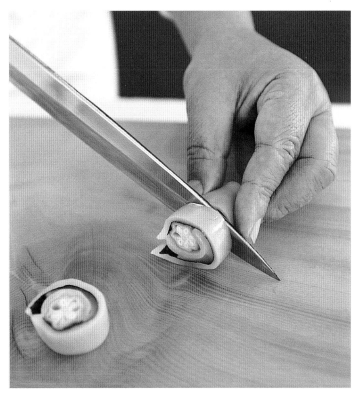

3 Roulez la seiche autour de l'okra et de la feuille de nori pour former un cylindre.

4 Coupez le rouleau en trois bouchées que vous poserez à plat sur l'assiette.

Ci-contre : rouleaux de seiche

Rouleaux de seiche à l'okra

1 feuille de nori

4 seiches

4 okras

12 feuilles de shiso

4 bandelettes de carotte de 10 cm de long
et 1 cm de large

4 bandelettes de daïkon de 10 cm de long
et 1 cm de large

wasabi en accompagnement

sauce de soja en accompagnement

Coupez la feuille de nori en 4 et réservez. Nettoyez et videz la seiche (voir pages 72-73). Placez la lame du couteau au bord du filet et coupez-le en deux sans aller jusqu'au bout. Ouvrez le filet et placez un morceau de nori sur la droite. Recoupez les extrémités de l'okra et posez-le sur le bord gauche de la feuille de nori (c'est-à-dire vers le milieu du filet). Repliez le côté gauche et roulez en serrant bien fort. Coupez ce rouleau en trois.

Disposez les feuilles de shiso sur une assiette et posez les tranches de seiche dessus. Nouez ensemble une bandelette de carotte et une de daïkon et posez-les au centre de l'assiette. Préparez les trois autres assiettes à l'identique.

Servez avec du wasabi et de la sauce de soja.

Pour 4 personnes

Conseils

Choisissez des okras jeunes et tendres ou remplacez-les par des tranches de saumon, de thon, du gingembre au vinaigre ou des morceaux de concombre.

ROULEAUX DE SEICHE À L'OKRA

Sashimi de seiche en julienne

2 seiches

1 cuillerée à café de saké

2 cuillerées à soupe de tobiko

(laitance de poisson volant)

le jaune d'un œuf dur tamisé (œuf mimosa)

1 aillet d'environ 10 cm de long coupé en julienne

sauce de soja en accompagnement

Nettoyez les seiches (voir pages 72-73) et coupez le blanc en julienne. Mettez le tout dans un saladier et arrosez de saké. Ajoutez le tobiko et mélangez. Répartissez le mélange dans 4 coupelles puis saupoudrez de jaune d'œuf mimosa. Coupez l'aillet en 4 et garnissez les seiches.

Servez avec la sauce de soja.

Pour 4 personnes

Couper en julienne

La seiche et l'encornet (calmar) ont tendance à glisser entre les doigts. Il faut donc faire attention en les coupant. Après avoir vidé et nettoyé la seiche (voir pages 72-73), posez la chair sur la planche à découper et coupez en julienne de la pointe du couteau.

Conseils

À défaut de seiche, vous pouvez utiliser des encornets (calmar). Enlevez la peau externe de la seiche avant de la manger crue.

SASHIMI DE SEICHE EN JULIENNE

Seiche blanchie à l'aonori

4 seiches

1 cuillerée à café d'aonori (nori vert en flocons)

4 quartiers de citron

des épines de pin pour la décoration

sauce de soja en accompagnement

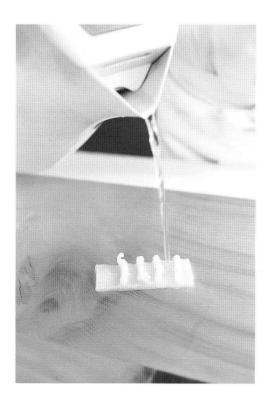

Nettoyez les seiches (voir pages 72-73) et coupez-les en deux verticalement. Posez un morceau à la fois, extérieur sur la planche à découper, et incisez verticalement tous les 1/2 cm. Tournez la seiche de 90° et incisez en croisant. Faites blanchir (voir page 42) puis réfrigérez jusqu'à ce que la seiche soit froide. Placez-la ensuite au milieu de l'assiette et saupoudrez d'aonori. Disposez les épines de pin d'un côté et le quartier de citron de l'autre.

Servez avec de la sauce de soja.

Pour 4 personnes

Conseil

De la ciboulette hachée remplacera l'aonori s'il vous est impossible d'en trouver.

SEICHE BLANCHIE À L AONORI

aemono

L'association de sashimi et de condiments ou de sauces permet de multiplier les saveurs. Les poissons au goût assez fort comme la bonite, la limande à queue jaune et l'orphie s'accordent bien à différents accompagnements.

Vous imaginerez un nombre infini de plats en utilisant tous les poissons susceptibles d'entrer dans la composition des sashimi, les différentes techniques de coupe et les nombreuses épices et sauces.

Les quatre façons de couper qui conviennent le mieux à ces présentations sont la coupe en cubes, en tranches, fines ou extra-fines, et en julienne. Les sashimi tataki peuvent aussi être accompagnés de condiments et de sauces.

Daïkon et piment râpés
Momiji-oroshi

120 g de daïkon

2 petits piments rouges (piment oiseau)

Pelez le daïkon et coupez les extrémités puis faites un petit trou à chaque bout, avec des baguettes, afin d'y glisser les piments. Râpez ensuite le daïkon et mélangez le tout dans une coupelle.

L'association du piquant du piment avec l'amertume du daïkon est rafraîchissante et va particulièrement bien avec les sashimi au goût subtil comme les usu-zukiri (coupés en tranches fines comme du papier) servis avec une vinaigrette. Cet accompagnement convient tout particulièrement à tous les poissons à chair blanche.

Pour 4 personnes

Miso au thé vert
Maccha miso

1 cuill. à soupe de thé vert
en poudre (maccha)

1 ¹/₂ cuill. à café de miso blanc

2 cuill. à café de mirin

Mélangez tous les ingrédients dans une coupelle, jusqu'à ce qu'ils ne fassent plus qu'un.

Pour 4 personnes

Pâte de sésame noir
Goma-dare

65 g de graines de
sésame noir grillé

2 cuill. à soupe
de mirin

1 cuill. à café de jus
de gingembre frais

Écrasez les graines de sésame dans un mortier avec un pilon en ajoutant petit à petit le mirin et le jus de gingembre. Mélangez jusqu'à obtention d'une pâte lisse. Servez avec des sashimi cuits à la vapeur.

Pour 4 personnes

Vinaigrette au jaune d'œuf
Kimizu

4 jaunes d'œufs
battus

1 cuill. à soupe
de vinaigre de riz

1 cuill. à café
de mirin

Battez les jaunes et le vinaigre de riz dans un bol. Ajoutez le mirin et continuez à battre. Passez le mélange au chinois. Vous tremperez vos sashimi de poisson à chair blanche comme la dorade, la dorade grise et le saint-pierre coupés en tranches fines dans cette vinaigrette.

Pour 4 personnes

Limande à queue jaune marinée

1 oignon jaune (paille)

4 limandes à queue jaune entières

50 g de gingembre frais râpé

1 gousse d'ail écrasée

1 aillet finement haché

4 feuilles de shiso

2 feuilles de myoga coupés en deux

100 g de daïkon en lanières

4 radis ronds fourrés au wasabi

20 g de wasabi

POUR LA VINAIGRETTE

12 cl de vinaigre de riz

2 cuillerées à soupe de sucre en poudre

1 pincée de sel

1 cuillerée à café de mirin

Coupez l'oignon en tranches et placez-les dans un bol d'eau froide. Levez les filets des poissons (voir page 36) et coupez-les en petits dés d'environ 1 cm de côté. Égouttez les tranches d'oignon.

Mélangez tous les ingrédients de la vinaigrette dans un bol.

Mettez les tranches d'oignon, le gingembre râpé, la gousse d'ail écrasée et l'aillet haché dans un bol. Versez la vinaigrette sur ces ingrédients et mélangez bien le tout avec des baguettes ou une fourchette. Ajoutez les bouchées de poisson et mélangez délicatement. Sortez les bouchées de poisson, disposez-les sur la planche à découper et hachez-les légèrement en utilisant le dos de la lame du couteau afin que la chair s'imprègne de la saveur de la sauce (voir Tataki légèrement haché page 47). Mettez de la glace pilée sur une feuille de shiso dans chaque assiette ou coupelle puis disposez les bouchées de limande. Garnissez-les avec les condiments marinés et ajoutez pour finir la moitié d'une feuille de myoga et un radis fourré de wasabi sur chaque assiette.

Pour 4 personnes

Conseil

Cette préparation peut être faite avec de la bonite.

LIMANDE À QUEUE JAUNE MARINÉE

Perche de mer à la purée de prunes

1 perche de mer de 300 g

100 g de purée de prunes (umeboshi)

1 feuille de shiso ciselée

1 feuille de shiso coupée en julienne

50 g de daïkon en lanières

É caillez le poisson (voir page 42) et levez les filets (voir pages 34-35). Enlevez les arêtes restantes à la pince à épiler. Passez rapidement les filets au grill ou à la flamme, côté peau, jusqu'à ce qu'elle change de couleur. Coupez ensuite les filets façon hiki-zukuri (voir page 20). Mélangez la purée de prunes et les feuilles de shiso. Répartissez les lanières de daïkon sur les 4 assiettes. Disposez le poisson avec un peu de purée par-dessus. Saupoudrez de feuille de shiso en julienne.

Pour 4 personnes

Conseil

À défaut de perche, prenez du maigre ou une petite dorade.

PERCHE DE MER À LA PURÉE DE PRUNES

Dorade au pamplemousse et à la sauce émeraude

220 g de filets de dorade sans la peau

1 pamplemousse

2 kiwis

4 feuilles de menthe pour la décoration

Coupez les filets en 24 morceaux en utilisant la technique sogi-zukiri (voir page 24). Coupez le haut et le bas du pamplemousse. Posez-le sur la planche et enlevez la peau et la peau blanche. Coupez-le en huit en prenant soin d'enlever la cloison séparant les quartiers.

Pelez les kiwis et passez-les au mixer. Disposez 6 morceaux de dorade sur chaque assiette et placez 2 morceaux de pamplemousse dessus. Déposez des gouttes de purée de kiwi tout autour avec une petite cuillère. Surmontez le sashimi d'une feuille de menthe.

Pour 4 personnes

Conseil

À défaut de perche, prenez du maigre ou de la limande

DORADE AU PAMPLEMOUSSE ET À LA SAUCE ÉMERAUDE

Crabe à la mayonnaise au wasabi

1 cuillerée à soupe de saké

1 cuillerée à soupe de sel

8 bâtonnets de crabe frais

un saladier d'eau glacée pour refroidir

4 bandelettes de daïkon de 10 cm sur 1 cm

16 feuilles de ciboulette

1 barquette de cresson alénois

MAYONNAISE AU WASABI

50 g de mayonnaise légère

10 g de wasabi

Faites bouillir une casserole d'eau puis ajoutez le saké et le sel. Plongez-y les bâtonnets de crabe enveloppés d'un linge fin pour qu'ils ne se défassent pas pendant la cuisson. Quand le tissu remonte à la surface, sortez le crabe de l'eau et plongez-le dans l'eau froide. Enlevez le tissu quand le crabe est froid.

Mélangez le wasabi et la mayonnaise jusqu'à obtention d'une pâte lisse. Coupez les bâtonnets de crabe en deux. Liez les deux bouchées ainsi obtenues avec quatre feuilles de ciboulette. Disposez les bâtonnets debout dans chaque coupelle et garnissez-les d'un peu de mayonnaise au wasabi, de lanières de daïkon et de cresson.

Pour 4 personnes

Conseil

On peut remplacer le crabe par du homard.

CRABE À LA MAYONNAISE AU WASABI

coquillages

Les coquillages perdent vite leur fraîcheur, aussi faut-il les choisir vivants ou précuits. Si vous achetez des coquillages vivants pour le lendemain, enveloppez-les dans du papier journal avant de les mettre au réfrigérateur. Préférez les coquillages de saison.

Dans le premier cas, mettez des gants pour protéger vos mains des piquants de l'animal. Coupez-le en deux avec un couteau solide, ouvrez la coquille sans abîmer les œufs. Retirez les œufs à la petite cuillère ou de la pointe du couteau.

Servez avec du wasabi et de la sauce de soja.

Ormeaux

Ces coquillages très prisés reviennent assez cher. Leur chair ivoire a une saveur délicate. L'ormeau vivant se conserve plusieurs jours au frais dans un sac plongé dans de l'eau salée.

Pour raffermir la chair, saupoudrez-la de sel. Attendez 10 minutes avant de l'enlever de la coquille en vous aidant d'un couteau à beurre. Rincez-la. Enlevez les branchies avec un couteau bien affûté (couteau à sashimi ou à lever les filets). Recoupez et tranchez façon sogi-zukuri (voir page 54). S'il vous est impossible d'acheter des ormeaux vivants, mangez-les cuits.

Coquilles Saint-Jacques

Ce grand coquillage bivalve pouvant atteindre jusqu'à 20 cm est très prisé pour sa noix très tendre avec laquelle on confectionne de délicieux sashimi.

Achetez les Saint-Jacques dans leur coquille. Après les avoir extraites, rincez les noix dans l'eau salée. Enlevez le nerf et la laitance qui ont un goût de poisson trop prononcé. Coupez-les façon sogi-zukuri (voir page 54) et servez avec du wasabi et de la sauce de soja. Si vous devez acheter des noix de Saint-Jacques à cuire, faites-les blanchir avant de les préparer en sashimi.

Oursins

L'oursin est un plat de fête au Japon. Sa bonne odeur de mer et sa chair lisse sont inhabituelles. Sa saveur iodée et sa texture s'accordent bien avec le saké ou le vin.

Vous pouvez essayer d'ouvrir vous-même les oursins à l'aide d'un couteau ou en acheter le corail d'une belle couleur jaune orangée au marché.

Huîtres

Il est préférable de les acheter en hiver parce que c'est la période où elles produisent le plus de glycogène, exhausteur de goût naturel. Achetez de préférence des huîtres charnues, bien grasses. Ouvrez-les (voir page 94) et mangez-les immédiatement.

Les huîtres sont riches en sels minéraux et en vitamines.

Dans le sens des aiguilles d'une montre en partant d'en haut à gauche : huître, oursin, Saint-Jacques

Cocktail d'huîtres

75 cl d'eau

1 cuillerée à soupe de sel

8 huîtres

2 feuilles de nori coupées en quatre

4 cuillerées à soupe de piment et de daïkon râpé

(voir page 82)

1 cuillerée à soupe de tobiko

(laitance de poisson volant)

8 feuilles de ciboulette coupées en deux

50 g d'ugo (algue salée)

50 g de daïkon en lanières

VINAIGRETTE

2 cuillerées à soupe de vinaigre de riz

1 cuillerée à café de sucre en poudre

$^1/_2$ cuillerée à café de mirin

2 gouttes de sauce de soja

Mélangez tous les ingrédients de la vinaigrette dans un saladier et réservez. Remplissez un saladier d'eau pour y dissoudre le sel.

Pour ouvrir les huîtres : Placez l'huître sur la paume d'une main sur un chiffon et enfoncez un couteau destiné à cet usage dans la coquille, au point d'attache des deux valves. Faites tourner la lame pour ouvrir le coquillage.

Trempez les huîtres dans l'eau salée pour faire ressortir leur goût. Formez un cylindre avec chaque carré de nori et glissez la chair d'une huître dedans avant de le placer sur une coquille. Disposez de petites piles de daïkon et de piment autour en y intercalant le tobiko. Glissez deux feuilles de ciboulette dans le tobiko. Placez l'algue salée et le daïkon en lanières au milieu de chaque assiette, en faisant un petit creux au centre pour y poser la coquille garnie. Arrosez le tout de quelques gouttes de vinaigrette.

Pour 4 personnes

Conseil

Choisissez des huîtres bien grasses et qui sentent bon.

COCKTAIL D'HUÎTRES

Oursin

¹/₂ feuille de nori

1 concombre

150 g de laitance d'oursin

8 brindilles de kinome (poivre japonais)

ou pousses de daïkon

du wasabi en accompagnement

de la sauce soja en accompagnement

Coupez la feuille de nori en deux. Trempez le concombre dans l'eau. Posez le concombre sur la feuille de nori et enroulez-le en serrant bien. Recoupez les deux extrémités du concombre pour qu'il ne dépasse pas puis coupez le rouleau ainsi obtenu en huit.

Posez deux morceaux de laitance d'oursin sur la bouchée de concombre et posez une brindille de kinome sur chaque oursin. Disposez deux sashimi au concombre dans chaque coupelle et servez avec du wasabi et de la sauce de soja.

Pour 4 personnes

Sashimi à la noix de Saint-Jacques

8 coquilles Saint-Jacques

75 cl d'eau salée

1 cuillerée à soupe de sel

4 cuillerées à café d'œufs de saumon

SAUCE AU THÉ VERT

1 cuillerée à soupe de thé vert

1 cuillerée à soupe de miso blanc

1 cuillerée à café de mirin

Rincez puis ouvrez les coquilles en glissant un couteau à beurre entre les deux valves. Conservez celles qui serviront à la décoration.

Sortez les noix de Saint-Jacques, placez-les dans un saladier et saupoudrez-les de sel puis trempez-les dans l'eau salée. Mélangez les ingrédients de la sauce au thé vert dans un bol puis répartissez-la sur quatre demi-coquilles. Placez deux noix sur chaque coquille et décorez avec les œufs de saumon.

Pour 4 personnes

Conseil

L'ormeau peut remplacer la noix de Saint-Jacques.

SASHIMI À LA NOIX DE SAINT-JACQUES

modernes

Sashimi à l'éperlan

6 cl de vinaigre de riz

4 feuilles de varech de 2,5 x 10 cm

300 g d'éperlan

1 cuillerée à soupe de mirin

4 lamelles de carotte d'environ 20 cm de long,
coupées avec un économe

4 brindilles de bambou pour la décoration

du wasabi en accompagnement

de la sauce soja en accompagnement

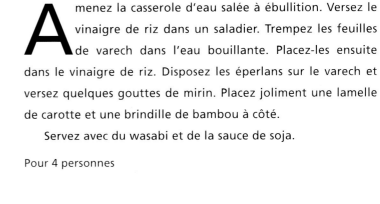

Amenez la casserole d'eau salée à ébullition. Versez le vinaigre de riz dans un saladier. Trempez les feuilles de varech dans l'eau bouillante. Placez-les ensuite dans le vinaigre de riz. Disposez les éperlans sur le varech et versez quelques gouttes de mirin. Placez joliment une lamelle de carotte et une brindille de bambou à côté.

Servez avec du wasabi et de la sauce de soja.

Pour 4 personnes

Conseil

Les éperlans peuvent être remplacés par des crevettes.

SASHIMI À L'ÉPERLAN

Sashimi dans son panier de lime

4 grosses limes (citrons verts)

4 fines tranches de dorade

4 tranches d'okra

4 bouquets (gambas)

4 lamelles de saumon de 2,5 cm de long

4 carrés de nori de 3 cm de côté

des brindilles de bambou

des fleurs sans insecticide pour la décoration

Enlevez de fines bandelettes de la peau du citron, comme sur la photo, en vous aidant d'un petit couteau. Coupez le haut de chaque fruit pour faire un couvercle. Évidez l'intérieur en ne conservant que la peau. Roulez les tranches de dorade et placez-en une au fond de chacun des petits paniers ainsi créés puis posez l'okra par-dessus. Glissez-y ensuite les bouquets. Enroulez les lamelles de saumon dans le nori, recoupez et ajoutez-les à chaque panier. Décorez chaque assiette d'une brindille de bambou et d'une fleur.

Pour 4 personnes

SASHIMI DANS SON PANIER DE LIME

Sashimi à l'avocat et à la papaye

1 avocat mur mais ferme

150 g de papaye

125 g de daïkon en lanières

8 feuilles de shiso

10 rondelles de citron coupées en deux

SAUCE AU WASABI

1 cuillerée à soupe de wasabi

2 cuillerées à soupe de sauce soja légère

1 cuillerée à soupe de mirin

Coupez les avocats en deux, enlevez les noyaux et pelez-les. Recoupez chaque demi-avocat dans la longueur puis coupez les quartiers façon hiki-zukuri (voir page 20).

Coupez la papaye en deux et enlevez les pépins. Recoupez chaque demi-papaye dans la longueur puis coupez-la comme l'avocat.

Répartissez le daïkon en lanière sur les quatre assiettes et posez deux feuilles de shiso sur chaque assiette. Glissez les demi-rondelles de citron entre les morceaux d'avocat et de papaye et posez un morceau d'avocat sur les feuilles de shiso. Mélangez les ingrédients de la sauce au wasabi dans un bol.

Servez en accompagnement d'autres sashimi.

Pour 4 personnes

SASHIMI À L'AVOCAT ET À LA PAPAYE

Glossaire

Aillets (oignons nouveaux) : Ce légume au goût proche de l'oignon possède un petit bulbe blanc et une tige verte.

Aonori : Algue verte comestible vendue sous forme de flocons séchés. On la saupoudre au moment de servir afin qu'elle reste croustillante.

Ciboulette : Herbe fine rappelant l'oignon. Feuilles et tiges sont hachées et utilisées pour parfumer et décorer les sashimi.

Daïkon : Grand radis blanc dont la saveur légèrement épicée évoque le raifort.

Feuilles de bambou : Cette garniture ne se mange pas. On pose les bouchées de poisson sur les feuilles que l'on conserve dans l'eau avant utilisation.

Feuilles de nandin : Le nandin est un arbuste à feuilles persistantes. Originaire de Chine, il atteint environ deux mètres. Chaque tige produit trois feuilles ou davantage, évoquant une petite plume. En hiver les petits pétales blancs laissent la place à un fruit rouge toxique. Au Japon, cette plante est appréciée dans les jardins. Elle figure aussi fréquemment sur les écussons familiaux.

Gingembre frais : Le gingembre râpé a une saveur épicée et piquante. Il sert à parfumer les marinades.

Julienne (Tailler en) : Couper en allumettes très fines.

Jus de gingembre frais : Peler un morceau de gingembre frais et le râper au-dessus d'un bol. Presser la chair râpée pour en extraire le jus.

Karashi : Ce condiment évoque la moutarde mais en plus fort.

Kinome : Poivre japonais. Les pousses fortement parfumées offrent une garniture comestible ou sont utilisées comme aromates. On peut les hacher ou s'en servir en pâté.

Konnyaku : Surnommée «langue du Diable», cette pâte à base de pommes de terre konnyaku se découpe en briquettes ou en languettes généralement associées à des plats cuits.

Maccha : Thé vert. Ce thé vert en poudre a un goût à la fois agréable et amer. Au Japon, il est indispensable dans toute cérémonie du thé.

Mirin : Vin de riz doux utilisé en cuisine. C'est un mélange de riz gluant cuit à la vapeur et de malt qui contient de 10 à 14 % d'alcool. On peut le remplacer par du sucre, mais le mirin dégage un arôme plus doux lorsqu'il est mélangé à d'autres condiments.

Miso : S'obtient en faisant fermenter de la pâte de soja et de l'orge ou du riz. Très riche en protéines. Le miso blanc est plus léger et moins salé. Il sert généralement d'assaisonnement ou de sauce aux sashimi. Sa couleur claire va bien avec les sauces au bleu. Il existe d'autres miso de colorations légèrement différentes. Le miso doré est facile à trouver dans les supermarchés asiatiques.

Myoga : C'est le gingembre japonais, mais il prend un goût caractéristique, différent de celui du gingembre, lorsqu'on le coupe en tranches fines pour accompagner les sashimi.

Nori : Feuille d'algue séchée de couleur marron ou vert foncé. Les feuilles font environ 20 x 17 cm et sont conditionnées par sachet de dix. On en trouve parfois de plus petites.

Œufs mimosa : Jaunes d'œufs cuits durs tamisés que l'on saupoudre ou avec lesquels on réalisera des motifs, les étamines d'une fleur sculptée dans un radis par exemple. Pour obtenir une cuillerée d'œuf mimosa, placer l'œuf dans une casserole d'eau froide, la porter à ébullition puis laisser quinze minutes dans l'eau frémissante. Sortir l'œuf et faire couler de l'eau froide dessus. Quand il est refroidi, l'écaler, enlever le blanc et placer le jaune dans un chinois ou une petite passoire. Presser le jaune avec une petite cuillère au-dessus d'un bol.

Okra :
Légume formé de cinq cosses renfermant les graines. Les tranches, en forme d'étoile ou de flocon de neige, forment des décorations particulièrement réussies. L'okra frais a une texture un peu collante qui s'harmonise bien avec les sashimi.

Saké :
Vin de riz fermenté. Il s'obtient en brassant du riz et peut être sec ou doux. Ce vin se boit frais, à température ou chauffé. Après ouverture, bien bouchée, la bouteille se conservera environ deux mois au réfrigérateur.

Sansho :
Poivre japonais au goût amer. Cette baie s'achète généralement en poudre car la saveur ne s'évente pas. Les graines sont vendues après avoir été cuisinées dans de la sauce de soja additionnée de sucre, de bouillon de varech et d'autres ingrédients.

Tobiko :
Il s'agit d'une pâte de laitance de poisson volant, de texture très fine et de couleur orange vif.

Ugo :
Algue salée verte vendue en sachet. Bien rincer avant utilisation.

Umeboshi :
Prunes salées marinées colorées avec du shiso rouge (plante aromatique de la famille de la menthe). Très salées, elles s'utilisent en petite quantité.

Varech :
Algue vendue séchée en larges rubans brunâtres. Bien rincer et faire tremper avant utilisation. Le varech est très nutritif mais se consomme rarement seul. La saveur du kombu (varech séché) relève le goût des plats.

Vinaigre de riz :
Obtenu par la fermentation du riz, ce vinaigre est assez doux. Le riz est l'aliment de base des Japonais, et le vinaigre de riz accompagne à merveille les sushi et autres spécialités.

Wakame :
Algue brun foncé plus fine que le varech. S'utilise en garniture des sashimi après avoir au préalable trempé.

Yam (ou kumara) :
Pelé et râpé fin, ce légume prend une consistance collante évoquant du fromage fondu ou une crème très épaisse. Il facilite la digestion. On le déguste avec de la sauce soja en accompagnement de légumes, de poisson ou de riz cuit, ou avec une sauce épaisse. Pour faire des crêpes japonaises, ajouter de la poudre de yam à l'appareil pour obtenir des crêpes bien gonflées.

Yuzu (citron japonais) :
Le yuzu est utilisé pour son piquant. Séché, en poudre ou surgelé, le yuzu est disponible toute l'année dans les épiceries japonaises.

Index

Guide des poids et mesures

¼ de cuillerée à café 1,25 ml

½ cuillerée à café 2,5 ml

1 cuillerée à café 0,5 cl

1 cuillerée à soupe 1,5 cl (3 cuillerées à café)

Beurre

1 cuillerée à soupe 15 g

1,5 cuillerée à soupe 20 g

2 cuillerées à soupe 30 g

3 cuillerées à soupe 45 g

Tableau d'aide pour régler le thermostat du four

Ce tableau en degrés Celsius vous sera utile si vous possédez un four électrique.

Pour les fours fonctionnant au gaz, ôtez 10 °C aux températures indiquées, ou consultez le guide d'utilisation de votre cuisinière.

Les températures en dessous de 160 °C doivent être respectées quel que soit le mode d'alimentation de votre four.

Description °C thermostat

Four tiède 50 °C therm. 1

Four très doux 50 à 110 °C therm. 2

Four doux 110 à 170 °C therm. 3 à 5

Four chaud ou moyen 170 à 230 °C therm. 5 à 7

Four très chaud 230 à 280 °C therm. 7 à 9

Four brûlant 300 °C therm. 10

Direction éditoriale : Deborah Nixon
Direction de la fabrication : Sally Stokes
Coordination : Alexandra Nahlous
Assistance éditoriale : Judith Dunham et Avril Janks
Maquette : Avril Makula
Photographie : Mark O'Meara
Stylisme : Vicki Liley
Porcelaines réalisées au Japon par Paddington

Adaptation française : Sophie Léchauguette, avec le concours de Nicolas Blot
Coordination de l'édition française : Philippe Brunet
Réalisation : PHB Services d'édition

ISBN : 2-87677-436-4
Dépôt légal : 3e trimestre 2001
Imprimé à Singapour

FEV 2002

Date Due

REJETÉ/DISCARDED